À Jean-Marie Caron,

fier combattant de notre lutte nationale.

22 novembre 1999

SAUF VOT' RESPECT

Du même auteur

En collaboration avec Alain Pontaut et autres, *La Bataille du livre au Québec*, Leméac, 1972.

Pierre de Bellefeuille

SAUF VOT' RESPECT

lettre à René Lévesque

QUÉBEC/AMÉRIQUE
450, rue Sherbrooke est, 3e étage,
Montréal, Québec
H2L 1J8
Tél.. (514) 288-2371

DÉPÔT LÉGAL:
4e TRIMESTRE 1984
BIBLIOTHÈQUE NATIONALE DU QUÉBEC
ISBN 2-89037-237-5

Introduction

Saint-Eustache,
le 15 novembre 1984.

Patron,

À quelques reprises vous avez manifesté de l'étonnement lorsque je vous ai appelé ainsi. Aviez-vous du mal à comprendre qu'on puisse être loyal tout en s'exprimant librement ? Parmi les gens qui vous entourent, la nature humaine étant ce qu'elle est, il y en a qui vous servent en vous disant ce que vous voulez entendre. Ce n'est pas la seule façon de vous servir. Ce n'était pas non plus la vôtre, d'après ce qu'on en sait, auprès de feu votre patron Jean Lesage.

« Je vais écrire à monsieur Lévesque. » Combien de fois ai-je formé ce projet ! C'est pourtant la première fois que je joins le geste à la parole. Dans le passé, une foule d'appréhensions me retenaient, surtout la crainte, selon l'expression populaire, de me prendre pour un autre, et l'impression que vous ne porteriez guère attention aux divagations d'un trouble-fête parmi la députaille. Il y avait aussi la difficulté de décider si le pli serait confidentiel. Dans le cas où il le serait, il y avait le risque de la fuite qu'on me reprocherait fatalement. Dans le cas où il ne le serait pas, le désaccord risquait d'être amplifié outre mesure dans les médias et dans l'opinion.

Aujourd'hui, devant l'ampleur du désaccord et sa gravité, la volonté chasse les velléités. L'essentiel des convictions qui m'ont amené à la politique est en cause. Dans le désarroi, je lance un cri sans savoir si vous l'entendrez. Je souhaite vivement qu'il soit entendu, non seulement par vous, mais aussi par beaucoup d'autres qui peuvent influencer le destin du Québec. Et pour réduire le risque de distorsion, je ne me contenterai pas des deux ou trois pages de la lettre habituelle.

Vous avez sûrement compris que ce qui m'amène, c'est le dérapage fédéraliste qui accompagne la remise en cause des décisions que le congrès national de notre parti a prises en juin dernier, selon lesquelles la souveraineté-association sera l'enjeu des prochaines élections, à l'occasion desquelles un vote pour le Parti Québécois sera un vote pour son option essentielle. Une fois ces décisions prises, par une très forte majorité, vous n'avez pas été le premier à les récuser. Nous avons d'abord eu droit aux protestations de Clément Richard et d'autres. Mais en confiant aux journalistes qu'il fallait réfléchir à tout cela, et y revenir en temps opportun, c'est vous, vu la prééminence de vos paroles, qui avez relancé le débat. Non content de l'avoir relancé, vous lui avez prêté la magie du mystère en priant tout le monde en général et les ministres en particulier de réfléchir en silence. Vous ne pouviez évidemment obtenir que l'effet contraire, sauf peut-être, pour un temps, dans le cas des ministres qui sont soumis en principe aux règles de la solidarité et du secret ministériels. C'est, nous dit-on, avec votre accord que Pierre-Marc Johnson a le premier enfreint la consigne en accordant au **Devoir** une entrevue qui a paru le 27 octobre. Je ne sais ce que vous avez pensé de ce texte. Pour ma part, j'estime n'avoir jamais vu un revirement aussi total appuyé par aussi peu d'explications substantielles.

Nos institutions sont telles que vous avez parfaitement le droit d'interdire aux ministres de parler publiquement de telle ou telle question. L'interdiction s'arrête là. Elle n'atteint pas les députés et encore moins les militants de notre parti. Mais votre prestige est tel que les militants se sont tus. Ils ont pris pour eux la consigne donnée aux ministres. Je le regrette. Nous avions tout avantage à les laisser parler et à les écouter.

Dans l'intervalle, nous avions regardé passer la vague bleue sur le Canada tout entier. Le soir du 4 septembre, j'ai débouché le bon cidre québécois et même le champagne pour les quelques amis qui étaient chez moi. La déconfiture des hommes de Trudeau méritait un moment de réjouissance. Mais l'élection du gouvernement Mulroney me laissait totalement indifférent, et j'avoue que j'avais du mal à comprendre vos signaux contradictoires, l'appui qui n'en était pas un, et la ferveur bleue de certains de vos ministres. J'ai constaté par la suite que le virage fédéralisant se préparait déjà depuis un bon moment.

Mais revenons à ce débat que vous vouliez contenir jusqu'à plus tard. Comme de coutume, au conseil national du parti, le 22 septembre, à Québec, vous avez fait le point de la situation politique et des intentions du gouvernement. J'ai voulu savoir où nous en étions par rapport à notre option fondamentale. Au micro, je vous ai posé la question. Votre réponse, dans laquelle la souveraineté penchait vers les calendes grecques alors que la collaboration avec Ottawa devenait un beau risque, m'a atterré. Vous proposez au parti comme au gouvernement un virage fédéralisant. Comment les indépendantistes pourraient-ils accepter pareille abdication ? C'est un Québec, un sapin, une couleuvre, une pilule qui ne passera pas. Troquer notre destin contre les minauderies victorieuses de M. Mulroney ? Stopper l'incessante quête de liberté de notre peuple ? Sacrifier notre âme sur l'autel de quelques jobs ministériels ? Trahir les millions de Québécoises et de Québécois qui nous ont fait confiance, avec notre option ? Accepter le régime fédéral — non pas le gouvernement du jour à Ottawa — après l'avoir dénoncé pendant dix-sept ans ?

Comprenez-moi bien : ma position n'est pas formaliste. Ce n'est pas le fait de revenir sur des décisions du congrès qui me consterne, encore que j'estime qu'il y a trop de gens au gouvernement (et dans ce qu'on est convenu d'appeler les officines ministérielles) qui, à votre exemple, traitent le parti au mieux comme un mal nécessaire et au pire comme une engeance. Ce qui me révolte, c'est la remise en question de notre option, le rejet de la raison d'être de notre parti, quel que soit le canal emprunté par ce rejet et cette remise en question.

Je sais que le parti n'est pas parfait. Je lui fais aussi des reproches, mais alors que vous le voulez docile, je voudrais qu'il s'impose. Ainsi, ce 22 septembre, au conseil national, il y avait derrière moi au micro M. Robert Blondin, du comté de Saint-Henri, et personne d'autre. Vous aviez amorcé un virage fédéraliste, et seulement deux militants ont protesté. Le parti, ce jour-là, était méconnaissable. Il n'était plus indépendantiste. La fragilité de nos convictions ne montre-t-elle pas que nous ne nous sommes pas encore débarrassés complètement de la mentalité du colonisé, et qu'il faut travailler d'arrache-pied pour enraciner la liberté ?

Il y a beaucoup de circonstances en politique où l'on veut ménager la chèvre et le chou. Voilà un art dans lequel vous n'êtes pas plus dépourvu qu'un autre. Sauf que ce qui s'applique à l'accessoire ne convient pas nécessairement à l'essentiel. Vous prétendrez peut-être que vous êtes toujours attaché à notre option. Permettez-moi de vous dire que lorsqu'on la renvoie à l'an 2000 et aux calendes grecques, ce n'est pas seulement une mise en veilleuse, c'est carrément une mise au rancart. (Je sais qu'en réalité, l'an 2000, ce n'est pas très loin. Quant au nombre d'années, nous sommes aussi près de l'an 2000 que de la fondation du Parti Québécois. Mais dans l'entendement courant, l'an 2000 équivaut presque aux calendes grecques. Vous avez d'ailleurs utilisé les deux expressions.)

Ni pur ni dur

En faisant écho au débat, les journalistes m'ont décrit comme un pur et un dur de l'indépendance. Je n'ai pu m'empêcher de sourire. Je suis indépendantiste, bien sûr, et avec ferveur. Mais pur et dur ? Né et élevé à Ottawa, j'étais tout naturellement fédéraliste. Fonctionnaire fédéral à deux reprises, à l'Office national du film et à la Compagnie canadienne de l'Exposition universelle de 1967, j'ai pu observer de près les mécanismes par lesquels le Canada anglais s'efforce de maintenir le Québec dans un état de sujétion. Cela fit de moi un fédéraliste mécontent, tenant d'un statut particulier pour le Québec. Cependant, j'écoutais attentivement ce que vous disiez alors. La campagne électorale de 1970 a été mon chemin de Damas : j'ai adhéré au Parti Québécois.

Tout en étant nationaliste, je me méfie du nationalisme. Autant un déploiement de drapeaux peut m'enthousiasmer, autant il peut me faire peur. Vous et moi, nous n'avons que quelques années de moins que Pierre Trudeau. Nous avons vu les mêmes choses que lui et subi les mêmes influences. Comme lui, nous avons vu les ravages de nationalismes insensés en Europe. Comme lui, nous avons déploré le repli sur soi que représentaient pour le Québec le vieux nationalisme clérical et le duplessisme. À partir de prémisses communes, il n'a pas tiré les mêmes conclusions que nous, mais la pensée de base a noué une fraternité qui avive la divergence. Rappelez-vous avec quelle fougue vous avez empêché le Parti Québécois à ses débuts de réclamer l'abolition des écoles anglaises. De mon côté, je publiais dans **Le Magazine Maclean** de novembre 1969, sous la rubrique « Sauf vot' respect », un billet intitulé : « L'unilinguisme, c'est bon pour les autruches ». J'y écrivais : « Bien sûr, si l'on discute un peu, les tenants de l'unilinguisme en viennent parfois à le définir en ces termes : priorité du français et plein respect des droits des minorités. Mais ça, ce n'est pas l'unilinguisme, et il vaudrait mieux bannir ce mot qui escamote les vrais problèmes et peut provoquer des poussées de fanatisme. » Bref, je me méfie trop de l'esprit doctrinaire pour être un indépendantiste pur et dur. Du reste, les indépendantistes purs et durs ne sont plus au Parti Québécois. Ils nous ont quittés en cours de route, outrés par nos ruses référendaires de 1980 et, ensuite, par la mise en veilleuse de notre option.

Je crois que nous avons en commun, vous et moi, un indépendantisme ni pur ni dur. Cela ne doit cependant pas nous priver d'une ferme conviction.

I. L'option remise en cause

On ne cesse de nous dire que l'indépendantisme est déphasé (ce ne serait qu'un demi-mal, car qui dit phase dit retour...). Les jeunes, dit-on, ne s'intéressent qu'aux emplois et aux questions économiques. Pour un peu, on ferait de notre devenir national un caprice de la mode. Je reconnais qu'il n'y a pas d'indépendance punk.

On nous dit aussi : la population s'est prononcée contre l'indépendance, vous avez perdu le référendum. Pas si vite ! Je crois que nous avons perdu la consultation populaire du 20 mai 1980 en partie parce que nous avons posé une question trop compliquée qui a donné au peuple l'impression que nous voulions jouer au plus fin avec lui. Peut-être les électeurs ne voulaient-ils pas tant nous refuser le mandat demandé que rejeter notre *farfinage*. En outre, sans porter atteinte à l'égalité de tous les citoyens de toutes origines, il est pertinent de noter que ce sont les non-francophones qui ont fait pencher la balance en votant très majoritairement pour le non. Les francophones, dont le Québec est le foyer national et sans qui cette question de destin propre ne se poserait même pas, ont partagé leurs suffrages à peu près également entre le oui et le non. Il est donc juste de dire que nous avons perdu le référendum, mais faux de prétendre que la nation québécoise originelle s'est prononcée contre l'indépendance. Et quand cela serait, même si les francophones aussi avaient opté très majoritairement pour le non, rien, absolument rien ne nous forcerait à changer d'idée. Bien sûr, il faut accepter le verdict populaire et agir en conséquence — en effet, nous n'avons pas réclamé après le référendum la tenue de négociations pour lesquelles nous n'avions pas de mandat — mais aucune règle politique ni morale n'exige de renoncer à ses convictions. Ce serait absurde. Et si nous avions gagné le référendum, les tenants du non seraient-ils devenus du jour au lendemain d'ardents indépendantistes ?

Il y a quelques mois, une interrogation beaucoup plus sérieuse et plus significative est venue de la revue **Liberté**, dont le numéro de juin 1984 était consacré au thème « Indépendance : le mot et la chose ». Dans son article intitulé « Quelques hypothèses à propos d'une dépression », le directeur de la revue, François Ricard, examine à froid l'actuelle dévaluation de l'indépendance. Il montre comment l'élan du début des années 60 a trouvé des aboutissements sans que l'indépendance ait été nécessaire. C'est le cas de la question linguistique, bien que cet argument soit affaibli par les assauts fédéraux contre la loi 101.

C'est le cas du retard économique des francophones, où il s'est produit un certain rattrapage; Ricard observe cependant que l'idée de rattrapage s'accompagne du rejet de valeurs anciennes sur lesquelles se fondait l'idée d'indépendance. C'est aussi le cas des inégalités dans la fonction publique fédérale, partiellement corrigées, de l'emploi au Québec, où il y a progrès pour les francophones, et de la gestion des entreprises où l'on nous donne un peu plus de corde (peut-être dans l'espoir que nous nous pendions... mais soyons justes: dans beaucoup de cas, notre nouvelle liberté de manœuvre, on ne nous l'a pas donnée, nous l'avons conquise). C'est encore le cas de ce que Ricard appelle l'absence de participation du Québec à la scène internationale. Vous qui rentrez de Chine, vous savez aussi bien que quiconque que cette participation s'est affirmée. Nous sommes encore loin de jouer le rôle d'une puissance souveraine — l'essentiel nous manque — mais les progrès du dernier quart de siècle, sous les gouvernements de trois partis, ont été accomplis sans que l'indépendance ait été nécessaire.

L'indépendance-tremplin

Ricard écrit: « D'abord orienté, par les théoriciens de **Parti Pris**, vers la libération globale du Québec, et particulièrement celle des classes populaires, l'indépendantisme n'a réussi à devenir une force politique significative qu'à partir du moment où il a été pris en charge par ce qu'on est convenu d'appeler les "nouvelles classes" montantes issues de la Révolution tranquille: enseignants, fonctionnaires, intellectuels, gestionnaires, syndicalistes, etc., qui, en identifiant leur désir d'ascension sociale et économique avec l'intérêt de l'ensemble de la collectivité, ont pu ainsi profiter de la "pression" indépendantiste pour réaliser leurs propres fins, lesquelles, on l'a bien vu, pouvaient être atteintes, là encore, sans l'indépendance. Et qui plus est, l'indépendance, ironiquement, devient dès lors, aux yeux de ceux-là mêmes qui se sont appuyés sur elle pour améliorer leur position, une menace à cette position même, un risque qu'il leur semble de plus en plus difficile de courir. »

Voilà un verdict impitoyable : l'indépendance à été utilisée à des fins de promotion personnelle. Par qui, plus précisément ?

Ricard poursuit : « Tel est le cas, par exemple, de la nouvelle génération d'entrepreneurs et d'administrateurs francophones, à qui la montée de l'indépendantisme, la promotion de l'État québécois et les diverses mesures linguistiques ont servi de tremplin pour se hisser aux postes de commande dans le secteur privé et qui, aussitôt atteinte cette nouvelle position, se font les promoteurs de la souplesse en matière de langue, de l'allègement de l'État et du fédéralisme mou. » Ricard décèle une évolution analogue du côté des intellectuels et des artistes. Il ajoute : « Ainsi il est des échecs qui sont aussi des victoires. » Mais Ricard — oubli ou étonnante générosité ? — ne met pas en cause la classe politique. Il est trop bon !

Le directeur de **Liberté** explique ensuite que le régime fédéral lui-même a utilisé l'indépendantisme « en transformant sa propre *image* dans un sens qui rende de moins en moins claires les raisons que l'on pouvait avoir de le considérer comme un adversaire. Il est certain, à cet égard, que l'histoire politique du Québec, depuis 1960, c'est aussi — c'est peut-être surtout — une histoire qui s'est déroulée à Ottawa, où la "pression" indépendantiste, encore une fois, a produit des résultats qui devaient lentement mais très sûrement affaiblir les chances mêmes de l'indépendance. Cette histoire, c'est celle du "French Power" : commission Laurendeau-Dunton, loi des langues officielles, bilinguisme institutionnel, multiples ententes sectorielles fédérales-provinciales, etc., toutes choses qui modifiaient peu à peu les *signes* et les excès de la domination et privaient l'analyse indépendantiste de ses arguments les plus obvies, la condamnant ainsi à des “décodages” et à des rationalisations d’une subtilité de moins en moins rentable politiquement. Même les événements d’octobre 1970, à cet égard, font partie de l’opération de charme, dans la mesure où ils ont été pilotés par des francophones, dont le pouvoir se trouvait alors clairement manifesté. »

Nous avons donc été les metteurs en scène de Trudeau : « C’est le Canada, son dominateur, que l’indépendantisme aura peut-être surtout libéré. Quelle ironie que l’histoire ! » Ricard et les autres collaborateurs de **Liberté** soulèvent beaucoup d’autres aspects de la question.

Il est impérieux que les indépendantistes fassent le point. La réflexion s’impose, non pas sur la stratégie et la tactique qui obsèdent les esprits superficiels, mais sur l’idée d’indépendance, sur son sens actuel et, passez-moi le mot, sur la *doctrine* indépendantiste. Comme vous le savez, patron, j’ai proposé dès la mi-août dernier un cadre dans lequel cette réflexion pourrait se dérouler, en ce qui concerne notre parti ou à tout le moins son aile parlementaire. Il s'agirait de mettre sur pied un comité du conseil des députés. Fatalement, la réflexion se fera quelque part. Il serait dommage que nous n'ayons pas la présence d'esprit de la susciter nous-mêmes. Nous pourrions en inspirer notre action, plutôt que de vaciller aux quatre vents dans le désert d'idées qui a résulté de l'absence d'autopsie post-référendaire sérieuse. Sans parler d'une autopsie post-rapatriement. Privés d'une analyse en profondeur de ces grands événements, nous n'avons pas eu depuis quatre ans de véritable plan d'action, au-delà des incantations du parti qui sont restées lettre morte. Voilà, il me semble, la principale explication de la fuite dans le fédéralisme qui décime nos rangs. Nous n'avons pas alimenté la pensée indépendantiste. Comme gouvernement, nous avions raison de dire qu'il fallait avant tout s'occuper de la crise économique, mais, de la même façon qu'on peut en même temps marcher et mâcher de la gomme — si je peux me permettre de reprendre le mot du député de l'opposition Richard French —, on peut en même temps gouverner et réfléchir.

Il faut bien l'admettre : l'indépendantisme et le simple nationalisme n'ont pas le vent dans les voiles. Signe des temps, le marché du disque québécois, côté chansonnières et chansonniers, traverse une mauvaise passe. Ça ne se vend plus. Quand on songe au rôle de la chanson dans notre histoire récente, depuis **La Manic** jusqu'à **Gens du pays**, on mesure l'affaissement. Mais de toute évidence, à moins de sombrer dans un pessimisme morbide, il faut voir que ces phénomènes sont cycliques. Il s'agit pour nous d'alimenter le retour du cycle, et si possible de l'accélérer.

Certains nous proposent un fédéralisme naïf, en se prétendant réalistes. Mais ce réalisme, c'est celui de la soumission et de l'abandon. D'autres, croyant avoir inventé le bouton à quatre trous, proposent la souveraineté par tranches, comme s'il s'agissait de la faire passer inaperçue ou d'avaler un médicament amer. Rien de cela n'est sérieux, ni digne de vous, patron.

Ce qu'il y a de merveilleux avec les idées, c'est qu'elles durent. Une certaine conception des rapports entre les êtres humains, formulée dans la Grèce antique, est aujourd'hui encore la pierre de touche des régimes politiques. La démocratie est une idée. La souveraineté en est une autre. Notre indépendantisme a subi avatars et déboires. Il a été utilisé par les uns et détourné par les autres. La mode lui a donné l'accolade puis elle est passée, comme bien se doit, à autre chose. Mais l'idée reste. Sous réserve d'une réflexion plus poussée, que nos néo-fédéralistes refusent de faire, il me semble que les principaux arguments en faveur de la souveraineté conservent leur valeur. Si vous voulez, patron, nous allons en revoir quelques-uns ensemble, sans ordre particulier, comme ils me viennent à l'esprit.

II. Pourquoi la souveraineté

Notre histoire nous propose un premier argument en faveur de la souveraineté. Durant notre période cléricale, il n'y a pas si longtemps, nous parlions du miracle de la survivance. En effet, comme peuple, nous avons su durer. Sans l'ombre d'un doute, nous sommes doués du vouloir-vivre collectif qui est la marque d'une nation. À travers les régimes successifs auxquels nous avons été soumis — et dont je vous épargne l'énumération — nous avons constamment cherché les moyens de mieux affirmer notre identité. Bref, notre histoire est une longue quête de liberté. La souveraineté est l'aboutissement naturel de cette démarche.

À moins d'adopter le point de vue de Lord Durham...

L'arrivée au pouvoir de Brian Mulroney ne modifie en rien le sens de notre histoire.

*

* *

À un point de vue plus concret, il me semble que l'argument essentiel, c'est celui que nous avons souvent évoqué au moyen d'une image : le régime fédéral ne nous donne que la moitié d'un coffre d'outils. Allez donc réparer une porte qui ferme mal avec la moitié d'un coffre d'outils ! Les pouvoirs d'une province canadienne, les mêmes que ceux de l'Île-du-Prince-Édouard, sont insuffisants pour que le Québec puisse s'acquitter convenablement de son rôle de foyer national des francophones du Canada. C'est en ce sens, et en ce sens seulement, que le Québec n'est pas une province comme les autres. C'est à cause de ce rôle, et de rien d'autre, qu'il réclame la reconnaissance de son caractère de société distincte. Le problème des outils manquants s'applique à tous les domaines, depuis l'économique jusqu'au culturel. Nous-mêmes, depuis huit ans, comme les gouvernements qui nous avaient précédés, nous avons eu à nous débattre avec des compétences qui manquaient, ou que nous partagions avec plus fort que nous, et avec des ressources fiscales réduites, étant donné que la moitié de nos impôts vont ailleurs. Lequel de vos ministres pourra dire que son coffre d'outils est complet ? Même l'éducation, que la constitution de 1867 était censée nous réserver, est de plus en plus envahie par le fédéral, non pas essentiellement parce que MM. Pierre Trudeau et Jean Chrétien étaient de méchants garçons, mais plus exactement à cause de la tendance *fatale* du régime fédéral à la centralisation. Être fédéraliste, dans ces conditions, c'est soit accepter la dépendance et la soumission, soit céder à un goût morbide pour les batailles perdues d'avance.

Nos adversaires aiment bien parler de fédéralisme renouvelé. On juge d'un arbre à ses fruits. Le fédéralisme canadien ne s'est renouvelé que dans le sens de la centralisation, c'est-à-dire l'envahissement et la diminution des pouvoirs du Québec. Quelques jalons :

1917 - Le fédéral s'ingère dans l'impôt direct.

1927 - Le Québec est dépouillé d'un cinquième de son territoire, le Labrador, sans avoir même pu se faire entendre par le Conseil privé de Londres.

1927 - Le fédéral s'empare du domaine des pensions de vieillesse.

1932 - Ottawa envahit le domaine hautement culturel de la radio — invasion qui s'étendra plus tard à la télévision — et se réserve le droit exclusif de la réglementer.

1936 - Ottawa crée la Banque fédérale des hypothèques, alors que le prêt hypothécaire relève du code civil du Québec.

1941 - Le fédéral envahit un domaine social exclusivement réservé aux provinces : l'assurance-chômage.

1942 - Encore à la faveur de la guerre, Ottawa force Québec à conclure une entente fiscale pour la durée du conflit et, une fois celui-ci terminé, continue de percevoir l'impôt sur le revenu.

1945 - Le fédéral empiète sur le domaine provincial des allocations familiales.

1945 - Ottawa s'insère dans le domaine provincial du logement en créant la Société centrale (plus tard canadienne) d'hypothèque et de logement.

1947, 1952, 1957 - Le fédéral enlève au Québec d'importants pouvoirs de taxation. Le Québec refuse des accords qui lèsent ses droits.

1949 - Le fédéral amende la constitution et se réserve le droit exclusif de la modifier, contrairement aux usages dans les autres pays fédéraux.

1949 - Les appels au Conseil privé de Londres sont abolis, mais le gouvernement central nomme seul les juges qui auront à se prononcer sur les conflits Québec-Ottawa.

1950 - Ottawa crée un ministère des Mines, dans un domaine de compétence provinciale.

1951 - Première ingérence fédérale dans le domaine de l'éducation : les subventions aux universités.

1957 - Ingérence culturelle : Ottawa crée le Conseil des Arts.

1957 - Ottawa légifère dans un domaine de compétence exclusive des provinces, l'assurance-santé.

1958 - Ingérence fédérale dans la voirie, de compétence provinciale.

1958 - Ingérence fédérale dans le domaine des forêts, de compétence provinciale.

1959 - Ottawa crée l'Office national de l'énergie, dans un domaine — les richesses naturelles — de compétence provinciale.

1966 - Ingérence fédérale dans l'éducation des adultes.

1971 - Ingérence fédérale dans les questions municipales qui sont de compétence exclusivement provinciale.

1980, 1981 - Coup de force constitutionnel de Trudeau. Le Québec perd son droit de veto. La loi 101 est gravement atteinte. Ottawa centralise encore les pouvoirs économiques.

Vous connaissez la suite. Le rouleau compresseur a continué sa marche, aussi bien dans le domaine des pêches que dans celui des services de santé. Trudeau, qui avait abusé des ténèbres d'un certain 4 novembre, profite de nouveau de l'obscurité pour présenter la nuit au Sénat une loi abjecte purement destinée à paralyser la Caisse de dépôt et de placement du Québec. Voilà comment le fédéralisme canadien se renouvelle.

Pendant la campagne référendaire de 1980, les tenants du fédéralisme faisaient appel au magnifique sophisme qui consiste à opposer indépendance et interdépendance. Or il n'y a pas d'opposition entre ces deux notions qui n'appartiennent pas au même ordre de choses. Le contraire de l'interdépendance, c'est l'autarcie. Le contraire de l'indépendance, c'est la dépendance. Je voudrais bien qu'il y ait un rapport entre ces deux ordres de choses et que la disparition graduelle de l'autarcie entraîne la disparition de la dépendance, mais je crains que ce lien n'existe pas. Dans la mesure où les gouvernements doivent intervenir et stimuler l'interdépendance, il me paraît évident qu'on y arrive mieux avec un coffre d'outils complet.

L'arrivée au pouvoir de Brian Mulroney n'ajoute pas un seul outil à notre moitié de coffre. Le régime fédéral est fatalement centralisateur.

*

* *

Dans le régime fédéral, nous ne sommes qu'une minorité de plus en plus minoritaire. Le rapport de forces nous est inévitablement défavorable. Patron, vous connaissez bien cet argument que vous avez souvent invoqué. Dans cette fausse confédération, nous ne sommes qu'un gouvernement parmi onze (bientôt treize avec le Yukon et les Territoires du Nord-Ouest), ce qui veut dire, en dernière analyse, un gouvernement contre dix (ou douze). On peut soutenir que ce n'est pas si simple, dans la mesure où le gouvernement fédéral est un peu le nôtre : c'est l'imposture du *French Power* qui n'est autre chose qu'un slogan, de la poudre aux yeux qu'on jette à la face des naïfs. Il y a sans doute aujourd'hui un plus grand nombre de fonctionnaires francophones à Ottawa, mais cela ne modifie nullement le rapport de forces.

Cela nous flatte lorsqu'un des nôtres dirige le gouvernement central et tient tête aux « Anglais ». L'ennui, c'est précisément qu'il ne tient pas tête. Il est au contraire au service de la majorité. Si l'histoire offre des leçons, voici un sujet sur lequel elle est très éloquente. Qui a trahi les francophones dans l'affaire des écoles du Manitoba, à la fin du siècle dernier ? Sir Wilfrid Laurier. Qui a décrété que le Québec était une province comme les autres ? Louis Saint-Laurent. Qui a imposé le Canada Bill ? Pierre Trudeau. Pour la majorité anglophone, un premier ministre qui vient du Québec est toujours un peu suspect. On craint qu'il ne favorise indûment les siens et sa province. Le premier ministre doit donc calmer ces soupçons. Le meilleur moyen d'y arriver, c'est de nous taper sur la tête, de faire constamment la preuve qu'il ne nous favorise pas. Sans vouloir blesser qui que ce soit, ce n'est donc pas une très bonne idée, au point de vue de nos intérêts, d'avoir un premier ministre québécois francophone à Ottawa.

Le pouvoir central est évidemment soumis à la majorité. Nous ne sommes qu'une seule province et, au point de vue démographique, nous ne sommes qu'une minorité. Le Parlement qui ronronne à l'ombre de la *Peace Tower* ne peut adopter, à l'instigation du gouvernement central, que des politiques « nationales » dont nous ne connaissons que trop les conséquences néfastes dans une foule de domaines depuis l'agriculture jusqu'à l'énergie et la pétrochimie. Nous ne sommes pas mieux servis par les institutions de l'État central qui sont toutes frappées du vice que Maurice Duplessis attribuait à l'une d'elles, la Cour suprême : elle est comme la tour de Pise, elle penche toujours du même bord. Peut-être, disent les fédéralistes, mais il y a la péréquation, qui est à l'avantage du Québec. Pure supercherie. Est-il à l'avantage du Québec de toujours avoir un taux de chômage de plusieurs points plus élevés que celui de l'Ontario, conséquence des politiques « nationales » ? La péréquation, c'est une compensation insuffisante qu'Ottawa verse pour avoir constamment favorisé les implantations industrielles en Ontario plutôt qu'au Québec (ou dans les provinces atlantiques).

L'arrivée au pouvoir de Brian Mulroney ne modifie en rien le rapport de forces, sauf pour l'aggraver, vu les engagements que le nouveau premier ministre a pris envers l'Ouest canadien dont le poids politique augmente à mesure que le nôtre diminue, celui de l'Ontario étant constant, sinon toujours croissant. Mais même si le chef conservateur avait pris envers le Québec des engagements du genre de ceux qui le lient à l'Ouest — ce qui n'est pas le cas — il ne pourrait pas renverser le rapport de forces qui est inhérent au régime fédéral.

*

* *

Le régime fédéral canadien, c'est l'inefficacité et le gaspillage institutionnalisés. Vous connaissez l'expression américaine : « this is no way to run a railroad» (ce n'est pas comme ça qu'on fait marcher un chemin de fer) — elle s'applique parfaitement à ce système absurde dans lequel les gouvernements des provinces s'efforcent de protéger les intérêts de leur population et de mettre leurs particularismes en valeur, pendant que le gouvernement central, qui se croit supérieur — ça se comprend, vu sa plus grande force juridique et ses ressources plus considérables — entend tout mener à sa guise, le plus souvent sans collaboration ni consultation. À propos des bases juridiques de l'action d'Ottawa, j'ignore si le commun des mortels se rend compte de l'infériorité à laquelle la constitution canadienne, la rapatriée comme la britannique de naguère, réduit les provinces, particulièrement au moyen d'une clause qu'on appelle pudiquement le pouvoir de dépenser. Ce pouvoir, c'est tout simplement celui que la constitution accorde au gouvernement central d'envahir à son gré les domaines de compétence provinciale. Le pouvoir inverse n'existe évidemment pas.

Vous avez vous-même fait état du comportement du gouvernement fédéral, à l'Assemblée nationale, le 4 mars 1980, dans le cadre du débat sur la question référendaire. Vous citiez une étude secrète commandée en 1977 par le gouvernement central. Vous disiez alors : « Les conclusions de cette étude, qui porte sur les activités de cent ministères et agences fédérales durant la période 1967-1976, sont terriblement claires. "Le gouvernement fédéral, y lit-on, (...) crée souvent des conflits avec Québec en intervenant sans connaître les bases constitutionnelles ou même les conséquences probables de ses actions." Un peu plus loin : "Les ministères fédéraux, souvent, ne consultent pas Québec même lorsque les programmes sont d'un intérêt particulier pour lui." Encore : "Il apparaît évident qu'il y a peu d'instances (sic) où le ministère ou l'agence fédérale était conscient des effets de ces activités sur la population du Québec ou sur les priorités, les politiques ou les programmes québécois." Enfin, ce dernier extrait : "Il est même rare qu'on ait tenté de prévoir les effets de ces activités avant qu'elles ne soient entreprises."» Le comportement du gouvernement central n'a d'autre cause que le déséquilibre des pouvoirs, déséquilibre que le coup de force constitutionnel de Trudeau a aggravé.

Ce déséquilibre a encore pour effet le chevauchement des programmes gouvernementaux, donc le double emploi et le gaspillage. Au cours des années, le problème des chevauchements s'est considérablement aggravé. Pour la période 1937-1940, la commission d'enquête fédérale Rowell-Sirois avait dénombré 22 cas de chevauchement entre Ottawa et Québec, dans les domaines suivants : agriculture, mines, pêches, industries secondaires, commerce, consommation et corporations, tourisme, marché financier, relations et conditions de travail, main-d'œuvre et emploi, éducation, sécurité du revenu, santé, salubrité du milieu, sécurité publique, statistiques et, enfin, gestion du territoire. Ça fait beaucoup de chevauchements ? On n'a encore rien vu. En

1978, l'École nationale d'administration publique du Québec a étudié la question et a relevé 197 cas de chevauchement, soit neuf fois plus que 40 ans auparavant. À la liste des secteurs touchés, l'ÉNAP ajoutait donc les suivants : énergie, forêts, faune, eau, communications, science et technologie, immigration, transport routier et urbain, transport maritime, aérien et ferroviaire, langue et culture, loisirs et sports, services sociaux, habitation, justice, affaires municipales, affaires du Nord, développement régional et affaires intergouvernementales. Selon les auteurs de l'étude, cela représente plus des quatre cinquièmes de l'activité gouvernementale. Et si l'on reprenait cette étude en 1984, on peut imaginer que d'autres secteurs s'ajouteraient à la liste, par exemple la condition féminine. On ne dira jamais assez combien ce régime est inefficace. On ne compte plus les efforts et impôts dépensés en pure perte. Les autres provinces s'en plaignent aussi, mais comme leur langue et leur culture ne sont pas mises en cause, elles ne voient qu'une déplorable comédie là où, pour nous, il y a une véritable tragédie.

L'arrivée au pouvoir de Brian Mulroney ne corrige pas le déséquilibre des pouvoirs. L'inefficacité et les chevauchements résultent de la nature du régime et non pas du comportement de tel ou tel gouvernement. Ottawa vient de faire quelques pas dans la bonne direction, par exemple en ce qui a trait aux expropriés de Mirabel, mais une hirondelle ne fait pas le printemps. Pour le moyen et le long terme, personne n'empêchera les mandarins du gouvernement central de se prévaloir de leurs pouvoirs constitutionnels.

*
* *

La Confédération, c'est le refus de l'égalité pour ce qu'on appelait encore récemment les deux peuples fondateurs. Ce régime est conçu pour accentuer la précarité de la langue et de la culture françaises déjà menacées par la force du nombre. On a parfois prétendu le contraire, mais ce n'était qu'un piège. Le chef de file des Canadiens (c'est ainsi que nous nous appelions avant la Confédération ; les autres étaient britanniques) qui à l'époque appuyaient le projet de Confédération, Georges-Étienne Cartier, est lui-même tombé dans le piège. Peu avant l'adoption du projet, dans un discours prononcé à Montréal, Cartier déclarait que la raison pour laquelle il était en faveur de la Confédération, c'était qu'il était assuré que les droits des francophones du Haut-Canada (Ontario) seraient protégés de la même façon que les droits des anglophones du Bas-Canada (Québec). Or on avait trompé ce pauvre Cartier. Comme chacun sait, les seuls droits linguistiques minoritaires que l'Acte de l'Amérique du Nord britannique protège, ce sont ceux des anglophones du Québec. Selon leur propre expression, les francophones des autres provinces n'ont eu que le droit de se battre. Ils n'ont cessé de lutter, parfois avec des succès relatifs, mais en subissant constamment de lourdes pertes devant un ennemi sournois : l'assimilation des leurs au milieu anglophone majoritaire. Parmi cette population éparse, ce sont les collectivités qui se trouvent tout près du Québec, au Nouveau-Brunswick et en Ontario, qui ont le mieux résisté à l'assimilation.

L'acharnement des anglophones contre les écoles françaises a véritablement constitué de la persécution. Déjà, en 1864, le gouvernement de Nouvelle-Écosse ordonnait la fermeture des écoles acadiennes. Voici la suite de ce tableau de déshonneur :

1871 - Abolition des droits scolaires des Acadiens du Nouveau-Brunswick et interdiction d'enseigner le français.

1877 - L'enseignement du français et de la religion catholique est interdit dans l'Île-du-Prince-Édouard.

1890 - Le Manitoba supprime les écoles confessionnelles françaises.

1892 - Les Territoires du Nord-Ouest, qui à cette époque regroupent la Saskatchewan et l'Alberta, retirent tout appui financier aux écoles françaises.

1905 - Les nouvelles provinces de Saskatchewan et d'Alberta refusent de reconnaître pleinement les droits scolaires des francophones.

1912 - Le Keewatin, ancien territoire aujourd'hui divisé entre les Territoires du Nord-Ouest, le Manitoba et l'Ontario, abolit l'enseignement en français.

1915 - L'Ontario, au moyen de l'infâme règlement 17, abolit l'enseignement en français.

1816 - Le Manitoba interdit l'enseignement du français à tous les niveaux.

1930 - La Saskatchewan interdit l'enseignement du français, même en dehors des heures de classe.

Il faut évidemment reconnaître que les choses se sont améliorées. Progrès considérables au Nouveau-Brunswick, voisin du Québec. Progrès plus lents en Ontario, également voisin du Québec. Au Manitoba, le gouvernement a renoncé à son projet de reconnaître les droits du français. Ce qu'il faut bien voir, c'est que dans l'ensemble, ces progrès arrivent trop tard. Le Canada, sauf le Québec et les régions limitrophes, est carrément un pays anglophone. Les francophones n'y sont qu'une minorité à tolérer, de plus ou moins bonne grâce, et même pas, dans plusieurs provinces, la principale minorité. Rien de cela n'est fortuit: dès le départ, la Confédération nous a refusé l'égalité.

Il est clair qu'on ne voulait pas de nous. Des événements comme la répression des Métis et la pendaison de leur chef Louis Riel en 1885 ont montré que, dans l'esprit des Canadiens anglais, il n'y avait pas de place pour les francophones au Canada, sauf, par pure tolérance, dans la réserve québécoise et ses environs immédiats. On peut voir jusqu'à quel point Trudeau avait la mentalité du colonisé lorsqu'on se rappelle qu'à plusieurs reprises, il a dit ou laissé entendre que c'est par notre faute que nous n'avons pas pris notre place dans le beau grand Canada *from coast to coast*. L'aventure, au contraire, nous a toujours tentés. Un certain esprit aventurier, hérité de nos ancêtres découvreurs, explorateurs, défricheurs et coureurs des bois, fait partie de notre mentalité. Nous avons pu voir au moment du référendum du 20 mai 1980 que le rêve pancanadien continue de nous séduire, malgré les barrières qu'on a érigées contre nous.

Je ne m'étendrai pas sur la politique fédérale des langues officielles. Il suffit de lire les rapports annuels des titulaires successifs du poste de commissaire aux langues officielles pour se rendre compte que cette politique piétine parce qu'elle est constamment en butte à des résistances profondes et plus ou moins conscientes. Mais il y a plus grave. Elle enferme le français dans un cadre de traduction et d'interprétation. Or une langue dans laquelle on ne crée que peu ou pas est une langue moribonde, sinon morte.

Les gens d'Ottawa ont recours à une autre ruse pour se donner bonne conscience. Elle consiste à établir un parallèle entre les droits des anglophones du Québec et ceux des francophones des autres provinces. Pour la plus grande joie de sa galerie de premiers ministres de provinces anglophones, Trudeau a fréquemment joué cette carte durant les négociations constitutionnelles de 1980-1981. Cela provoquait des situations grotesques : l'Ontario, qui refuse toujours obstinément le bilinguisme, accusait le Québec de maltraiter sa « minorité de langue officielle ». À plusieurs reprises, les francophones des autres provinces ont indiqué qu'ils accepteraient avec joie, pour eux-mêmes, les conditions faites par la loi 101 aux anglophones du Québec. En réalité, le parallèle que font le fédéral et ses complices est vicié à la base. Il n'y a pas de parallèle. Nulle part en Amérique, l'anglais n'est une langue menacée. Partout en Amérique, le français est menacé. Cela étant, il faut intervenir de diverses façons pour protéger le français. L'anglais n'a nul besoin de ces interventions. (Il y aurait quelques nuances à respecter : on peut soutenir que l'anglais est menacé dans certains coins de l'Estrie, mais la menace vient d'une perte d'effectifs plutôt que de lois ou de règlements. De même, on peut soutenir que le français est peu menacé à Chicoutimi. Mais ces nuances ne modifient pas l'essentiel.) Ce qu'il faut comprendre, c'est que, dans le contexte fédéral, les droits de l'anglais sont intouchables. Donc, la loi 101, comme la loi 22 naguère, est condamnée sans procès. Les droits du français, c'est autre chose. Comme dit William Davis, on y verra un jour. Voilà l'inégalité que la Confédération a consacrée.

Nous nous sommes quand même développés. Nous sommes toujours là, plus forts que jamais. Mais ce n'est pas grâce à la Confédération. C'est grâce à notre vertu (dans le sens de force) et à notre volonté de durer. C'est malgré la Confédération.

L'arrivée au pouvoir de Brian Mulroney ne refera pas 117 ans d'histoire. L'égalité nous a été refusée. Le parti conservateur a appuyé la politique des langues officielles et, pour l'essentiel, la démarche constitutionnelle de Trudeau.

*

* *

L'ouverture du Québec sur le monde exige la souveraineté. J'ai déjà noté que le goût de l'aventure fait partie de notre personnalité. C'est aussi le goût du voyage et des rencontres, accompagné d'une hospitalité peu commune. À ce vieux fond hérité de nos ancêtres s'est ajoutée l'influence des missionnaires qui, issus de milliers et de milliers de familles, ont tissé des liens avec des contrées lointaines. Notre attachement à la langue et à la culture françaises nous porte tout naturellement à nous intéresser à la francophonie universelle. Le succès extraordinaire et inattendu de la Superfrancofête, en 1974, en témoigne, tout comme, l'été dernier, l'accueil triomphal que la Vieille Capitale a fait au rockeur français Renaud ; dans les deux cas, ce sont les jeunes Québécoises et les jeunes Québécois qui ont manifesté leur enthousiasme, comme pour montrer qu'ils n'acceptent pas les portraits simplistes qu'on fait d'eux.

Je me souviens d'études que le gouvernement fédéral avait fait faire, durant les années 50, sur les attitudes comparées des Canadiens français et des Canadiens anglais envers les immigrants. Ces études, auxquelles Ottawa n'a donné aucune diffusion, montraient que les francophones, dans l'ensemble, acceptaient mieux que les anglophones la présence des immigrants. On peut noter aussi que les Québécois de toutes origines sont en général exempts de l'antiaméricanisme qui est endémique dans les autres provinces. Vu le fait français qui nous distingue, nous ne cherchons pas continuellement, comme le font les Canadiens des autres provinces, à prouver qu'il y a une différence entre les Américains et nous.

Le Québec est donc ouvert sur le monde. Mais il nous est doublement impossible d'agir à l'échelle mondiale d'une façon qui réponde à nos aspirations. En premier lieu, d'innombrables portes resteront fermées tant que le Québec ne sera pas un État souverain. En second lieu, nous n'avons que les moyens, tout à fait insuffisants, d'une simple province. Tant que nous resterons dans la Confédération, nous continuerons d'être représentés principalement, à travers le monde, dans les capitales, aux Nations Unies et dans les autres organisations internationales, par les agents d'Ottawa, en grande majorité anglophones, ignorants du Québec et pas particulièrement bien disposés à notre endroit. J'ai beaucoup appris à ce propos durant les années 60. Je sillonnais le monde pour recruter des participants à l'Expo 67. Dans chaque capitale, mon point de chute était évidemment l'ambassade du Canada. Sauf rares exceptions, les diplomates canadiens ne faisaient pas d'efforts sérieux pour convaincre les pays auprès desquels ils étaient accrédités de participer à l'exposition de Montréal. Il était clair que, selon les instructions reçues d'Ottawa, la chose n'était pas prioritaire. L'Expo 67 a réussi quand même. Soixante pays y étaient présents. C'était un record, mais ce nombre aurait été sensiblement plus grand si les ambassadeurs d'Ottawa s'étaient donné un peu plus de mal. On dira peut-être que c'est de l'histoire ancienne. Vous savez comme moi, patron, que pour l'essentiel, ça n'a pas changé. Il y a deux ans à peine, dans le cadre d'un grand congrès qui avait lieu à Chicago, le gouvernement d'Ottawa a publié une brochure dans laquelle on faisait état des réalisations canadiennes en matière de transport en commun. Voilà un domaine dans lequel le Québec brille : Bombardier, métro de Montréal, etc. Qu'ont fait les fonctionnaires d'Ottawa ? Ils ont consacré des pages et des pages à l'Ontario, avec un petit coin pour le Québec. Non, ça ne change pas. C'est dans la nature du régime.

L'arrivée au pouvoir de Brian Mulroney ne nous ouvrira pas les portes réservées aux pays souverains dans les relations internationales. Elle ne nous donnera pas les moyens propres aux nations libres.

*
* *

Le fédéralisme est un régime politique dépassé. Il ne se maintient sans contestation que là où il est très centralisé et où il n'y a qu'une seule langue d'État : États-Unis, Allemagne fédérale, Mexique, Brésil. On peut noter à cet égard que les autorités américaines se méfient des velléités de bilinguisme chez certains groupes d'hispanophones et de francophones. Ainsi, à Washington, on ne voit pas nécessairement d'un bon œil les démarches que le Québec fait auprès des Franco-Américains de Nouvelle-Angleterre et auprès des Louisianais.

Le fédéralisme ne répond pas aux besoins contemporains. Depuis la Deuxième Guerre mondiale, les principales tentatives en vue de mettre sur pied des régimes fédéraux ont échoué. Les deux cas les plus patents sont ceux des Antilles britanniques, dont la fédération a éclaté, et de la Malaisie, dont le joyau, Singapour, s'est détaché en 1965 après deux ans d'appartenance à la fédération. Beaucoup de Canadiens parlent du fédéralisme comme d'un absolu. Ils ne connaissent guère l'histoire ni l'évolution de la pensée politique. Déjà, au 19e siècle, Lord Acton, cet historien britannique que Trudeau aimait citer (« le pouvoir corrompt, et le pouvoir absolu corrompt absolument »), écrivait dans sa correspondance (je cite et traduis de mémoire) : tout au plus, le régime fédéral peut parfois rendre service aux nations sur de courtes périodes.

C'est plutôt l'association qui, de nos jours, canalise le mieux l'interdépendance des nations. Durant la campagne référendaire de 1980, les tenants du non avaient raison d'affirmer que la tendance aujourd'hui est au rapprochement entre les peuples. Le principal exemple qu'ils invoquaient, c'était le Marché commun ou, si vous préférez, la Communauté économique européenne. Très bon exemple, mais c'était un argument pour le oui plutôt qu'un argument pour le non, étant donné que la CEE, ou l'Europe des dix, est une association économique et non pas un régime fédéral. La France et l'Allemagne fédérale, pour ne nommer que celles-là, ne sont pas sur le point de renoncer à leur souveraineté nationale, on peut en toute quiétude parier sa chemise là-dessus.

Outre la CEE, il y a d'autres associations dans diverses régions du monde, par exemple le Conseil nordique (Danemark, Finlande, Islande, Norvège et Suède), l'Association latino-américaine de libre échange (onze républiques latino-américaines), le Groupe andin (cinq des mêmes républiques), le Marché commun centraméricain, le Marché commun des Caraïbes, l'Association des nations du sud-est asiatique, la Communauté économique des États de l'Afrique de l'Ouest.

L'arrivée au pouvoir de Brian Mulroney ne métamorphosera pas un régime politique, le fédéralisme, qui est dépassé et qui cède la place, dans l'évolution actuelle du monde, à l'association.

*
* *

Le Québec est déjà un pays distinct. Notre langue, notre culture, nos traditions ont façonné un mode de vie qui nous est propre. Le voyageur qui franchit la frontière de l'Ontario ou du Nouveau-Brunswick observe fatalement qu'il change de pays, dans tous les sens du mot, sauf pour la souveraineté. Nous n'étions que 60 000 au lendemain de la conquête. Nous sommes aujourd'hui, en comptant les Québécois de toutes origines, près de six millions et demi, dont cinq millions et quart de francophones. On appelait cela naguère le miracle de la survivance. En effet, on a rarement vu, dans l'histoire, pareille affirmation d'un vouloir-vivre collectif. Notre histoire est une longue quête de liberté. D'étape en étape, nous n'avons jamais renoncé à devenir vraiment maîtres chez nous. Nous avons tout ce qu'il faut — et plus encore — pour assurer le plein épanouissement de notre pays.

L'arrivée au pouvoir de Brian Mulroney ne modifie pas l'essentiel : le Québec est déjà un pays distinct qui a tout ce qu'il faut pour assumer la souveraineté.

*
* *

Il y a à peine quelques mois, l'exécutif du parti publiait un manifeste intitulé « Face à un monde nouveau ». Il serait impensable, patron, que vous n'en soyez pas solidaire. Je vous rappelle le début de l'introduction de ce document capital :

« Depuis plus de quatre siècles, nous formons un peuple. Un peuple acharné à défendre son héritage culturel et à affirmer son identité collective. Un peuple qui, désormais, peut se tourner vers l'avenir avec plus de confiance que jamais. Au cours des 25 dernières années, en effet, nous avons pris les bouchées doubles, nous avons mis toutes nos énergies, toutes nos ressources humaines à devenir l'une des sociétés les plus modernes au monde.

« Le défi était de taille et emballant. Nous l'avons relevé. Nous avons démontré à l'envi notre originalité et notre désir d'occuper toute la place qui nous revient comme nation.

« Ainsi occupés, il a pu nous sembler moins pressant de faire le choix fondamental qui s'offre à nous depuis toujours, de la dépendance ou de la souveraineté politique. Nous avons temporisé parce que d'autres solutions mitigées, alors valables, ont pu être avancées.

« Mais la crise économique, sociale et politique que nous avons traversée ces deux dernières années nous révèle que cela n'est plus possible : les défis à relever sont d'une ampleur telle qu'ils exigent une action rapide et une nouvelle mobilisation concertée de toutes les énergies. En quelques années, le Québec devra plonger dans une mutation technologique rapide, adapter sa structure industrielle à une économie qui se mondialise, accélérer le plein emploi de ses ressources humaines et transformer le rôle de l'État par l'établissement d'une société de concertation.

« Un nouveau projet de développement du Québec se dessine et commence à se concrétiser ; la révolution technologique fait surgir un monde nouveau dont les impératifs premiers qui s'imposent à un peuple sont l'aptitude à innover et la capacité de s'affirmer totalement. Mais en même temps, le régime fédéral canadien réduit constamment la marge de liberté du Québec et glisse vers l'État unitaire.

« Le Québec ne peut plus tergiverser : s'il veut continuer sur sa lancée, progresser encore, prendre en charge l'avenir en assumant son propre développement, il doit devenir souverain. Se donner la pleine maîtrise de ses décisions collectives. »

Je partage totalement cet avis dont vous êtes solidaire. Le Québec doit devenir souverain, notamment pour les raisons que je viens d'énoncer et que je rappelle brièvement :

1. La souveraineté est l'aboutissement naturel de notre longue quête de liberté.
2. Le régime fédéral, fatalement centralisateur, ne nous donne que la moitié d'un coffre d'outils.
3. De plus en plus minoritaires, nous subissons dans le régime fédéral un rapport de forces qui nous est constamment défavorable.
4. Le déséquilibre des pouvoirs et le double emploi, en régime fédéral, entraînent les chevauchements, l'inefficacité et le gaspillage.
5. La Confédération, c'est le refus de l'égalité pour notre peuple. Le gouvernement central entrave les mesures que nous prenons pour défendre notre langue et notre culture.
6. L'ouverture du Québec sur le monde exige la souveraineté.

7. Le fédéralisme est un régime politique dépassé qui cède la place, dans l'évolution actuelle du monde, à l'association.
8. Le Québec est déjà un pays distinct qui a tout ce qu'il faut pour assumer la souveraineté.

III. La parole muette

Pourquoi la souveraineté, portée par autant d'arguments impérieux, ne fait-elle pas l'unanimité... ou presque ?

Pourquoi, dans notre incessante quête de liberté, nous sommes-nous mis à marquer le pas ?

Pourquoi n'avons-nous pas gagné le référendum de 1980 ?

Pourquoi le chant des sirènes fédéralistes décime-t-il nos rangs ?

Nous sommes partagés entre deux rêves et déchirés entre deux identités : le Canada et le Québec. Mais ceux qui prétendent aujourd'hui porter le flambeau de la souveraineté se retirent de la course. Depuis plusieurs années déjà — soyons précis : dix ans — ils se sont tus. Ayant proclamé avec témérité et présomption que la marche vers l'indépendance était irréversible (les marxistes, tenants du déterminisme historique, ne sont pas toujours là où l'on pense), ils sont tombés dans le confort et l'indifférence, selon l'expression du cinéaste Denis Arcand. Oublieux de leur responsabilité historique, ils se sont adonnés indolemment au jeu stérile de l'administration courante et au poker fastidieux des petites stratégies.

Le grand drame du Québec d'aujourd'hui, c'est que la parole indépendantiste est muette.

Personne, ou à peu près, ne soutient le rêve québécois. Alors le peuple reste attaché au rêve canadien. On nous disait, durant la campagne référendaire : ne nous enlevez pas nos Rocheuses ! C'est vite devenu un cliché. Or ceux et celles qui se disaient attachés aux montagnes de l'Ouest canadien ne les avaient jamais vues — sauf rares exceptions — et n'avaient nulle intention d'aller y passer leurs vacances. Mais non, pour les vacances d'hiver, on choisit la Floride, sans se préoccuper de la frontière que l'on franchit. Les Rocheuses sont un symbole. Vous savez comme moi, patron, qu'un vaste ensemble de publicité, d'information et de propagande rend omniprésents les symboles sur lesquels repose le rêve canadien. Le rêve québécois tombe d'inanition, victime d'une conspiration du silence. Votre conseiller et ancien ministre Claude Morin aime répéter que ce n'est pas en tirant sur les fleurs qu'on les fait pousser plus vite. Il oublie que ce n'est pas non plus en les privant de nourriture et de lumière.

La leçon de Trudeau

Nous qui sommes en politique, c'est par la parole que nous sommes chargés d'apporter nourriture et lumière.

La parole est notre instrument privilégié. Notre adversaire Pierre Trudeau nous a donné à cet égard une leçon magistrale. Le point tournant de la campagne référendaire de 1980 est survenu lorsque Trudeau, au Forum de Montréal, a dit avec autant de force que de désinvolture : Vous voulez du changement ? Nous allons vous en donner, du changement ! Nous mettons nos sièges en jeu qu'il y en aura du changement ! Cette parole était mensongère, mais cela ne l'a pas privée de puissance. Elle était mensongère parce que Trudeau savait fort bien que lorsqu'on promet des changements aux Québécois, tout le monde comprend qu'il s'agit de changements en faveur du Québec, et non pas de changements portant atteinte à nos droits, comme ceux que Trudeau tramait déjà.

Derrière cette parole trompeuse, une volonté de fer : voilà la leçon que Trudeau nous a donnée. Non pas que j'aie l'idée de vanter le ci-devant député de Mont-Royal. Je considère au contraire — et j'imagine mal que vous ne soyez pas d'accord — que son action a été néfaste pour le Québec. Au nom d'un antiduplessisme attardé, à force de combattre un ennemi insaisissable, Trudeau a fini par lui ressembler et par le dépasser. Les 250 nominations patroneuses que Trudeau a imposées à ce pauvre Turner dépassent de loin tout ce que feu le député de Trois-Rivières avait imaginé. Entre deux rêves, deux identités, deux symboliques, Trudeau a fait un choix absolu. Sa carrière politique s'est donc déroulée comme s'il était mû par une vendetta antiquébécoise. Pas question, par exemple, de reconnaître dans le préambule de la constitution canadienne le caractère distinctif du Québec. Cette concession aurait été une faille dans sa cuirasse, un obstacle dans la recherche de l'État unitaire. Lancé dans une croisade, Trudeau n'avait plus de scrupules. Deux dizaines de felquistes lui ont servi de prétexte, durant la crise d'octobre 1970, pour imposer au Québec l'occupation militaire et pour procéder, à l'instar des dictateurs, à des arrestations et des perquisitions massives. Par la suite, le FLQ étant disparu, Trudeau a fait inventer un pseudo-FLQ par sa police secrète, la RCMP, dont on connaît aujourd'hui la série d'actes criminels. C'est le procédé classique — et abject — des agents provocateurs. Le gouvernement d'Ottawa s'est mis à confondre sécurité nationale et unité nationale. Or la primauté à la sécurité nationale est la base idéologique des régimes militaires et tortionnaires du Chili d'après Allende et de l'Argentine d'avant Alfonsin, comme en général des autres dictatures à travers le monde. Voilà la voie dans laquelle Trudeau entraînait le Canada.

Plus tard, au moment d'amorcer son coup de force constitutionnel, Trudeau n'a pas hésité à conclure avec William Davis un pacte infâme en vertu duquel il renonçait aux droits du français en Ontario, en échange de l'appui tactique du chef du gouvernement ontarien. Et lorsque Trudeau reprochait à une province atlantique de « troquer la liberté contre du poisson », c'était le coupable qui accusait pour faire diversion.

Mais, je le répète, par sa volonté de fer, Trudeau nous a donné une leçon. Soyons beaux joueurs et voyons les choses du point de vue canadien, comme d'ailleurs la grande majorité des Québécois n'ont jamais cessé de le faire : ils ont voté pour les libéraux fédéraux, tant que Trudeau était là. À force de bras, Trudeau a créé un patriotisme canadien qui, avant lui, n'existait tout simplement pas. Il a donné la fierté à un peuple qui s'ignorait. Comment les Québécois, qui furent les premiers Canadiens, auraient-ils pu rester insensibles à cette renaissance de l'identité canadienne ? Sans mandat explicite, malgré l'indifférence sinon l'hostilité de l'opinion, Trudeau a rapatrié la constitution et imposé la charte des droits. Il a déjà passé à l'histoire.

Et nous, qu'avons-nous fait ? Nous avons permis que se crée au Québec une situation dans laquelle, depuis dix ans, personne ne parle de l'indépendance sauf ceux qui sont contre. Vous savez fort bien que j'exagère très peu. Les journalistes ne cessent de répéter que les gens ne veulent pas entendre parler d'indépendance. Comment pourrait-il en être autrement ? La cause fédéraliste, appuyée sur une symbolique très riche et jouissant des avantages du statu quo, a été bien plaidée. Les plaideurs de l'indépendance ont choisi le silence. Monsieur de La Palice constaterait que personne ne les a entendus.

Comme la saucisse...

Vous êtes conscient du problème : l'année dernière, vous disiez que l'indépendance, c'est comme la saucisse : plus on en mange, plus on aime ça. Je vous avoue que la comparaison, pour dire le moins, m'a étonné. Quelle commune mesure y a-t-il entre notre devenir national et les techniques de commercialisation ? La comparaison est déroutante, mais pourtant elle n'est pas fausse. Je cite **La Presse** du 23 septembre 1983: «Il y a une sorte de syndrome de la saucisse Hygrade dans les médias, a dit M. Lévesque qui s'exprimait en anglais, en évoquant la publicité de cette saucisse bien connue. Plus de gens mangent de la Hygrade parce qu'elle est plus fraîche et elle est plus fraîche parce que plus de gens en mangent. Autrement dit, d'expliquer le premier ministre, peut-être le gouvernement ne parle-t-il pas d'indépendance parce qu'il croit que les gens ne veulent pas en entendre parler, mais peut-être que les gens ne veulent pas en entendre parler justement parce que le gouvernement n'en parle pas assez. (...) Comment sortir de ce cercle vicieux? C'est la question principale.»

Je partage votre avis: c'est la question principale. Pourquoi ne pas tirer profit du précieux enseignement que nous donne la publicité Hygrade, et parler de la souveraineté? Cela fait longtemps que vous n'en parlez pas, sauf parfois, de façon allusive, par exemple pour dire que notre option est une politique d'assurance pour l'avenir. Trudeau ne disait pas que le rapatriement de la constitution ou la charte des droits était une police d'assurance pour l'avenir. Il en parlait, à tort ou à raison, comme de nécessités impérieuses. Et il a emporté le morceau.

Trop souvent, il me semble, vos discours et ceux de certains ministres s'inspirent du principe de l'indépendance-carotte. Cela consiste à évoquer vaguement le but ultime, pour faire avancer les troupes souverainistes, mais la carotte au bout du bâton avance elle aussi et l'objectif reste aussi lointain. Une autre méthode consiste à alterner les doses, d'un jour à l'autre, un penchant souverainiste suivi d'un penchant fédéraliste. Je crains que ce chaud-froid ne lasse et ne démobilise les gens. L'ambiguïté et la confusion servent bien mal notre cause.

Le Parti Québécois a mis la sourdine sur son option en 1974, au moment où le congrès national s'est soumis à la nécessité de tenir un référendum avant que la souveraineté ne se fasse. L'étapisme commençait. Il s'est alors produit un pitoyable malentendu. L'étapisme a réduit la plupart d'entre nous au silence, comme si notre option nous intimidait. Pourtant, rien n'imposait ce silence. Quelles que fussent les étapes, il eût fallu continuer de diffuser le message essentiel.

Inscrire le référendum dans le programme? Au début, j'étais réticent, mais je me suis rallié. C'est vous qui m'avez convaincu, par des arguments irréprochables au plan de la démocratie. (Aussi, en 1980, étais-je étonné et désemparé de vous entendre dire: la prochaine fois, nous mettrons nos sièges en jeu, comme si le recours au référendum avait représenté un manque de courage.) Nous nous sommes mis à parler obsessivement de la peur, non sans raison, étant donné que les vaillants défenseurs du statu quo (y compris Mme Monique Bégin) laissaient entendre que l'indépendance, c'était la fin des pensions de vieillesse. Mais la peur a de nombreux visages. Il faudrait aujourd'hui se demander si, au référendum de 1980, les Québécois n'auraient pas eu peur aussi de ces péquistes arrogants, sûrs d'eux, sûrs de tout sauf de leur option...

Mais ne brûlons pas les étapes. Déjà, en 1973, le comité qui dirigeait la campagne électorale s'était permis de s'écarter du programme du parti et d'anticiper sur les décisions que le congrès national de l'année suivante allait prendre. Il confectionna une carte de rappel (cette pièce de publicité électorale par laquelle le parti indique à l'électeur où il doit aller voter) dans laquelle on disait qu'il ne s'agissait que d'un changement de gouvernement — le changement de régime, ce serait pour plus tard. C'était déjà l'étapisme.

Puis ce fut la campagne électorale de 1976. Quand on est en campagne, on ne s'interroge guère. On est pointé vers l'ennemi, on fait le coup de feu. Pourtant, je me suis bien demandé pourquoi certaines émissions que Jacques Parizeau et moi — et sans doute d'autres — devions faire à la radio de CKAC ont été contremandées. J'avais soumis des textes nettement indépendantistes. Parizeau aussi, d'après les renseignements que j'ai pu obtenir. Il y avait une consigne. Nous ne devions pas parler de l'indépendance. Personne ne le disait clairement, mais les faits ne laissaient aucun doute.

1980. La campagne référendaire. Nous avons atteint, dans le débat sur la question, l'apogée de notre action parlementaire. Mais la question elle-même, longuette et métamorphosée par l'introduction d'un éventuel second référendum, a pris tout le monde par surprise, sauf évidemment la poignée de personnes qui, autour de vous, ont mis la dernière main au texte de la question durant les heures qui ont précédé son dépôt à l'Assemblée nationale. Certains d'entre nous, et parmi les principaux, ont songé un instant à démissionner, mais le moment ne s'y prêtait évidemment pas. Encore une fois, l'étapisme avait reculé les échéances en profitant de l'effet de surprise. Et encore une fois, selon le même malentendu pénible, reculer les échéances, cela voulait dire parler le moins possible de l'option. Nous avons donc parlé fort peu de la souveraineté et beaucoup de l'association. L'erreur était double. D'une part, c'est pour la souveraineté qu'il fallait sortir, parler et convaincre, selon le slogan du parti. D'autre part, l'accent mis sur l'association nous a laissés sans défense quand Trudeau et un trio de premiers ministres provinciaux, Hatfield, Davis et Blakeney, sont venus au Québec dire à la population que, même si elle votait pour le oui, il n'y aurait pas d'association. Le comité de la campagne pour le oui nous proposait de dire aux gens : le lendemain du référendum, lorsque le oui aura gagné, rien ne sera changé. J'ai entendu des souverainistes sincères proférer cette énormité. Je vous avoue que malgré mon inépuisable bonne volonté, je n'y suis pas parvenu. Bien sûr, j'ai expliqué que le lendemain du référendum, Ottawa continuerait de distribuer les chèques, qu'il s'agirait d'abord de négocier, mais il fallait être complètement dépourvu de sens politique pour prétendre que lorsqu'un peuple a choisi l'indépendance, rien n'est changé. Face aux gens du non qui cherchaient à faire peur à la population, nous avons eu tant peur de la peur que nous ne nous sommes préoccupés que de rassurer. Avec notre question référendaire compliquée, nous avons donné l'impression que nous avions nous-mêmes peur de notre propre option. Nous avons ajouté au climat de peur, alors qu'il fallait éveiller, stimuler, exciter, donner la vie au rêve québécois.

À l'approche des élections de 1981, nous avons pris l'engagement de ne pas tenir un nouveau référendum sur la même question, durant un éventuel deuxième mandat. De nouveau, cette décision a été interprétée comme une mise en veilleuse de notre option. La consigne du silence était maintenue, au mépris de la volonté du parti qui, de conseil national en conseil national, nous pressait de promouvoir la souveraineté.

Des heures sombres

Survinrent ensuite le congrès national de 1981 et le référendum interne exigé par vous. Les journalistes ont appelé celui-ci le « renérendum ». C'était un bon mot qui tombait d'autant plus juste qu'il s'agissait d'un plébiscite plutôt que d'une véritable consultation. Une seule réponse pour trois questions différentes : ce qu'on attendait des membres du parti, ce n'était pas leur avis mais un acte de foi. Ce ne fut pas un moment glorieux. Nous avons frôlé de près le culte de la personnalité. Bien sûr, vous avez gagné haut la main ce curieux concours de popularité dans lequel vous étiez le seul concurrent. Vous aviez menacé de démissionner. De mon côté, j'y ai songé aussi, mais pour des raisons inverses et sans en faire un plat. Les lettres de soumission inconditionnelle ne sont évidemment pas mon genre. Comme vous le savez, j'ai refusé de signer celle que le conseil des députés vous a adressée. (Outre ma signature, il n'y manquait que celles de Guy Bisaillon, qui était encore dans nos rangs, et de Pierre Marois, qui était absent ; dès son retour, Marois a tenu à faire une soumission publique, au moyen d'un communiqué de presse.) Je me disais que vous étiez capable de prendre vos décisions comme un grand, sans que je m'en mêle. En ce qui me concerne, c'est ce que j'ai fait. J'ai décidé de ne pas démissionner. C'est la cause qui compte. Elle importe infiniment plus que moi et même que vous.

Vous avez affirmé que ce congrès de 1981 avait été pris en main par des agents provocateurs. À la solde de qui ? Mystère. L'accusation est restée vague et sans preuve. Vous avez invité les mécontents, quels qu'ils soient, à quitter le parti. C'est ce que firent beaucoup de militants, et, depuis ce jour, j'estime que le parti est méconnaissable. Il vous est soumis d'une façon qui, en démocratie, est malsaine. Vous avez prétendu que je décrétais des exclusives lorsque, au conseil national de septembre 1984, j'ai exprimé l'avis que ceux qui ne sont pas prêts à se battre pour la souveraineté devraient aller militer ailleurs. La paille et la poutre...

Comment le congrès de 1981 avait-il péché à vos yeux ? Il avait mis la pédale douce sur l'association, question de corriger une de nos erreurs référendaires. Il avait jugé qu'un mandat obtenu à la majorité des sièges serait suffisant pour justifier l'accession à la souveraineté ; c'est discutable, mais il ne faut pas oublier que c'est généralement comme ça que ça se passe en régime de type britannique. Et, troisième point, des intervenants avaient tenu au sujet des Québécois de souche autre que française des propos qui vous avaient déplu ; là-dessus, cependant, le congrès n'avait adopté aucune proposition portant atteinte à notre politique de respect des droits des minorités. Il n'y avait pas de quoi provoquer une crise. Le référendum interne ne pouvait viser qu'à asseoir votre autorité, à soulager votre morosité ou à justifier, par des détours cérébraux qui m'échappent, votre refus obstiné d'assumer enfin votre rôle historique, de prendre, selon l'expression convenue, le bâton du pèlerin et de mettre votre immense prestige au service de la cause qui a rassemblé, aux meilleurs jours, un tiers de million de militants.

La deuxième partie du congrès national, en février 1982, consacra la soumission inconditionnelle du parti. Cette année-là devait par ailleurs se révéler doublement tragique. Notre économie, dont le régime fédéral accentue la fragilité, a subi les effets désastreux de la crise. Les emplois disparaissaient par milliers. D'autre part, les négociations dans le secteur public et parapublic ont mené à un affrontement d'une extrême dureté. À mon avis, le gouvernement se complaisait indûment dans la ligne dure qu'il avait choisie pour les négociations. Il glissait vers la droite et une nette mentalité antisyndicale se répandait dans l'entourage des ministres. En même temps, on pouvait noter l'emprise grandissante d'une aversion paranoïaque contre les journalistes. Trois points que nous pourrions discuter longuement mais qui n'ont que peu de rapport avec l'objet de la présente. Je n'ajouterai qu'un mot au sujet du troisième point. Je comprends mal vos fréquentes sautes d'humeur contre les médias. Je me souviens que vers 1961, à l'époque où Jean-V. Dufresne était votre chef de cabinet (vous étiez vous-même ministre des Richesses naturelles dans le gouvernement Lesage), vous avez à quelques reprises fait appel aux journalistes, leur enjoignant de jouer pleinement leur rôle et de surveiller l'exercice du pouvoir. « Nous avons besoin de vous », disiez-vous. Le gouvernement d'aujourd'hui n'a-t-il pas, comme celui d'il y a vingt ans, besoin d'une presse vigilante ?

Longtemps avant l'ouverture du congrès national de juin 1984, vous aviez accrédité l'idée que la souveraineté serait l'enjeu des prochaines élections générales. La décision en ce sens, confirmant celle du congrès précédent, n'a donc étonné personne. Se souvenant des mises en veilleuse suscitées dans le passé par l'étapisme, les militants ont enfoncé le clou : un vote pour le Parti Québécois serait un vote pour la souveraineté. Dans ma naïveté, je n'avais jamais imaginé qu'un vote pour le Parti Québécois puisse être un vote contre la souveraineté, ni même un vote indifférent quant à la souveraineté. J'ai toujours cru qu'un vote pour le Parti Québécois était un vote pour la souveraineté, à chacune des élections auxquelles nous avons participé, ou à tout le moins le vote de quelqu'un qui acceptait que le Québec fasse un pas vers la souveraineté. (Autrement dit, ce n'est pas à l'étapisme lui-même que je m'oppose, mais plutôt aux mises en veilleuse et aux consignes du silence qui l'ont accompagné.) On a l'impression que cette résolution du congrès, qui énonce une évidence, sème maintenant la panique dans les rangs du conseil des ministres. Y aurait-il par hasard des ministres qui sont contre la souveraineté ? Si c'est le cas, que doit-il arriver ? Est-ce que le parti doit renoncer à sa raison d'être et devenir fédéraliste ? Est-ce que les fédéralistes égarés parmi nous ne doivent pas plutôt se retirer ?

J'espérais que le discours inaugural du 16 octobre 1984 amorcerait, même timidement, le redressement indispensable. Il n'en fut rien. Ce texte de 54 pages ne contenait pas un mot sur la souveraineté. Même pas une lointaine allusion. (Pas un mot non plus sur la refonte du code du travail...) Le dérapage fédéraliste se poursuit de plus belle. Le plan d'action adopté par le conseil national du parti, moins d'un mois auparavant, et qui repose tout entier sur la promotion de la souveraineté, est déjà lettre morte, sans que le parti ait été mêlé à une réorientation aussi lourde de conséquences. Comment peut-on justifier pareille désinvolture envers le parti, envers la députation et envers l'électorat ?

Y a-t-il erreur sur la personne ? Qui est le vrai René Lévesque ? Est-ce le journaliste à la pensée pénétrante, au cerveau pétri par les valeurs de la civilisation et de la démocratie ? Est-ce le politicien maussade qui maugrée contre les médias ? Est-ce le chef de parti qui exige la soumission ? Est-ce le chef ombrageux qui congédie les conseillers qui ne sont pas serviles (Mme Francine Fournier, de la Commission des droits de la personne, et M. Claude Benjamin, du Conseil supérieur de l'éducation) ? Est-ce l'auteur d'**Option-Québec** et de **La Passion du Québec**, ou l'auteur du discours fédéralisant du 16 octobre ? Qui est le vrai René Lévesque ?

IV. La prochaine étape

Dans notre longue quête de liberté, quelle sera la prochaine étape ?

Comment rendre la parole aux indépendantistes ?

Que faire, à l'approche des élections générales ?

Vous nous proposez, selon vos propres termes, le beau risque de la collaboration avec Ottawa qui pourrait renvoyer à l'an 2000 ou aux calendes grecques l'option qui est la raison d'être de notre parti.

À mon avis, vous courez vous-même, permettez-moi de le dire en toute franchise, le beau risque de perdre à jamais toute crédibilité, comme indépendantiste ou comme fédéraliste. Mais cherchons à voir plus exactement à quoi vous nous conviez. Vous voulez collaborer avec Ottawa. Qui vous en empêche ? Qui a décidé de bouder le gouvernement central depuis trois ans ? Quant à moi, j'ai toujours déploré cette attitude dont le Québec ne pouvait que souffrir ; les absents ont toujours tort, et notre absence des conférences fédérales-provinciales et interprovinciales depuis 1981 ne pouvait qu'aggraver le recul que les grandes manœuvres constitutionnelles nous avaient fait subir. (Je sais qu'il y a eu des exceptions, c'est-à-dire des conférences auxquelles le Québec a participé, mais même dans ces cas-là, nos représentants n'étaient parfois que des observateurs dépourvus d'instructions précises de leur gouvernement. En annonçant le boycottage, vous aviez précisé qu'il y aurait des exceptions lorsque les intérêts *écono-*

miques du Québec seraient en jeu. Je me suis demandé, à l'époque, pourquoi il n'y aurait d'exceptions que pour les intérêts économiques. Les intérêts vitaux du Québec ne sont pas toujours économiques. Mais c'est là un autre débat, un débat sur l'*économisme* que, curieusement, vous avez emprunté à Robert Bourassa.)

Cette bouderie, à laquelle on a donné pour la circonstance le nom plus noble de boycottage, a été contestée au sein du conseil des députés ministériels. Parmi d'autres, notre collègue Huguette Lachapelle, qui n'est pas comme moi une mauvaise tête, a soulevé la question. Vous avez maintenant annoncé la fin du boycottage. Tant mieux, mais vous ne pouvez pas soutenir qu'il n'a jamais existé. À l'Assemblée nationale, le 23 octobre 1984, en réponse à la question d'un député de l'opposition, vous avez affirmé que nous avons toujours dit que tant que nous serions dans le régime fédéral, nous collaborerions pleinement avec les autres gouvernements du Canada. Ce « pleinement » mérite un bémol.

La collaboration avec Ottawa ne fait donc pas problème, surtout pas pour les souverainistes, convaincus qu'ils sont que même avec la meilleure collaboration qu'on puisse imaginer, le régime fédéral lui-même doit être *remplacé* (c'est le verbe que vous avez utilisé vous-même, à l'Assemblée nationale, le 25 octobre 1984, mais en renvoyant malheureusement le tout à un avenir lointain et hypothétique). On nous dit de toutes parts, et les sondages le confirment, que la population en a assez des chicanes. C'est sûrement exact, mais ce n'est pas nouveau. Il faudrait expliquer à la population que le fédéralisme canadien a toujours été cause de chicane et que le moyen de s'en sortir, c'est précisément d'en sortir.

Les apprentis fédéralistes

Il y a huit ans que nous administrons une province canadienne. Nous avons donc huit ans d'expérience comme praticiens du fédéralisme. Quel est le bilan ? Avons-nous fait des merveilles ? Je crains au contraire que nous n'ayons été de mauvais fédéralistes. Ce n'est pas notre métier. Le cœur n'y est pas. Claude Ryan a déjà dressé à ce propos des réquisitoires durs mais foncièrement justes. (Oui, la population en a assez des chicanes, y compris l'excès d'esprit partisan qui empêche d'admettre qu'un adversaire puisse avoir raison.) Toute bouderie mise à part, nous avons instinctivement tendance à rester à l'écart de débats qui nous paraissent futiles ou piégés, par exemple ceux qui ont trait aux institutions de l'État central : Cour suprême, Sénat, etc. Nous n'inventons pas spontanément des mécanismes fédéraux. Nous ne mettons pas de l'avant un ensemble cohérent de politiques fédéralistes. Bref, nous n'avons pas de doctrine fédérale, comme il conviendrait à un partenaire senior dans la Confédération, pour reprendre l'anglicisme qu'utilise Claude Ryan. C'est pourquoi, en 1980, lorsque après sa victoire référendaire Trudeau a lancé la ronde des conférences constitutionnelles, notre carquois était vide, avant même que le tournoi commence. Nous étions en retard d'une guerre. Notre arsenal regorgeait de munitions référendaires sur la souveraineté-association — les études Bonin et le reste — mais nous n'étions pas prêts pour la bataille constitutionnelle. Nous avons alors tiré des archives ce que Claude Morin appelait les positions traditionnelles du Québec, sur chacun des points de l'ordre du jour énoncé par Trudeau. Péquistes penauds recyclés en apprentis fédéralistes, objets de soupçons, nous déroutions nos interlocuteurs en citant à la barre la série de vos prédécesseurs depuis Taschereau, en insistant évidemment plus sur Lesage et Johnson que sur Bourassa et Bertrand. La salade était comestible, vu la constance des revendications québécoises. Mais notre passéisme intempestif nous excluait de la course. Nous cherchions à faire échec, par des moyens dérisoires, à un processus qui devait fatalement mener à un accord, avec ou sans nous. Une Mata-

Hari québécoise mit la main sur un document explosif, l'aide-mémoire Kirby qui décrivait la stratégie du gouvernement central en citant Machiavel, et cela nous valut un éphémère succès de presse. Nous avons mis tous nos œufs dans le même panier : le front commun des provinces, en oubliant que, dans les coulisses, Ottawa divisait pour régner et achetait l'appui des provinces, une par une. Le front commun n'était qu'un château de cartes. Rien n'était plus évident. On nous a roulés, dans la nuit du 5 novembre 1981, mais c'était notre faute. On ne joue pas à la roulette russe sans connaître la règle du jeu.

Le plus grave, c'est que, dans notre maladresse, nous avons perdu au jeu le droit de veto du Québec. Il existait, ce droit, vous le savez bien. L'opinion ultérieure de la Cour suprême n'y change rien. N'est-ce pas le droit de veto que Robert Bourassa a exercé en 1971 à Victoria, pour bloquer un empiètement fédéral sur les compétences des provinces en matière sociale ? Deux provinces seulement possédaient ce droit, l'Ontario et le Québec. Dès l'ouverture d'une des conférences de la ronde constitutionnelle de 1980-1981, William Davis a offert de renoncer au droit de veto de l'Ontario, si cela pouvait faciliter les choses. Personne ne lui a riposté que l'Ontario ne possédait pas ce droit, tout simplement parce que, dans la réalité politique, l'Ontario et le Québec possédaient effectivement le droit de veto.

Nos élections du 13 avril 1981 sont survenues pendant les grandes manœuvres constitutionnelles. Dès le 16 avril, lors d'une réunion des huit provinces réfractaires, le Québec a cédé sur deux points fondamentaux : le partage des pouvoirs, qui était pourtant la plus importante des positions traditionnelles du Québec, et la règle de l'unanimité qui jusque-là avait fait consensus parmi les huit. Dans notre désir aveugle de maintenir à tout prix le front commun des provinces, nous avons accepté la formule dite de Vancouver, c'est-à-dire le droit de retrait avec compensation financière, qu'on nous offrait à la place de notre veto. Quel incompréhensible marché de dupes! Le droit de retrait avec compensation financière, c'est du séparatisme à la carte. D'emblée, il était évident que l'accord constitutionnel ne comporterait rien de tel. Il était tout aussi évident que le droit de retrait n'équivalait en aucune façon au droit de veto. Ce sont au contraire deux mécanismes opposés. L'un permet de se retirer, tandis que l'autre comporte le pouvoir et l'obligation de s'impliquer dans les grandes orientations de l'ensemble fédéral. Le droit de veto est un instrument très puissant. Il est inexcusable de l'avoir compromis dans une combine fugace et, ainsi, de l'avoir perdu. De vrais fédéralistes n'auraient jamais commis une erreur pareille.

Cette page-là a été tournée. Trudeau est parti. Son successeur Turner a déclenché les élections du 4 septembre

1984. À la volonté du parti d'appuyer les candidats nationalistes, vous avez préféré le flirt avec les *tories*. Nous voguons maintenant sur la vague bleue. La mer est belle, mais n'y a-t-il pas des récifs ? Durant la campagne, M. Mulroney n'a pris que l'engagement d'être gentil. Rien de plus précis. Bien sûr, on parlera un jour des choses constitutionnelles, mais il faut d'abord s'occuper de l'économie. Il n'est pas interdit à M. Mulroney non plus de faire à l'occasion de l'*économisme* commode. Est-ce que le poids de l'Ontario ne continuera pas de se faire sentir ? Est-ce que le gouvernement central ne voudra pas acquitter sa dette envers l'Ouest, et réaliser des engagements plus précis ? Lysiane Gagnon, dans **La Presse**, nous a beaucoup parlé des francophobes qu'on trouve chez les conservateurs. On peut lui rétorquer qu'il y a des francophobes aussi chez les libéraux et les néo-démocrates. On peut observer que certains *tories* francophobes, dans la tradition de ceux qui ont pendu Louis Riel, ont été battus aux urnes, mais il en reste assurément, qui mèneront une action sourde contre le Québec. Le flirt, comme tous les flirts, durera ce que durent les roses. Nous serons gros Jean comme devant.

Et même s'il y avait une nouvelle ronde de conférences constitutionnelles, que pourrions-nous sérieusement espérer en tirer? Le gouvernement central et le Canada anglais considèrent qu'ils ont remis le Québec à sa place. Je n'arrive pas à imaginer ce qui pourrait les pousser à faire marche arrière. Le droit de veto? Il faudrait le consentement du fédéral et des neuf autres provinces. Autrement dit, c'est totalement hors de question. La reconnaissance du Québec comme société distincte? Ou bien ce serait pour vrai, et alors la reconnaissance serait accompagnée d'un nouveau partage des pouvoirs (rien ne permet de penser qu'il pourrait en être question), ou bien ce serait pour la frime, et alors le jeu n'en vaut pas la chandelle.

Le mensonge ne rapporte pas

Admettons-le : nous n'avons pas de véritable pensée fédérale. Le remède n'est pas d'essayer, maintenant, d'en forger une. Ce n'est pas notre rôle. Disons-le franchement à la population, au risque (je n'ose prétendre que c'est un *beau* risque) de perdre les prochaines élections. Un éventuel désastre électoral pour le Parti Québécois ne serait pas nécessairement un désastre pour le Québec. Ni même, à la réflexion, pour le parti. Non, je ne souhaite pas la défaite, mais il est dans la nature des choses qu'elle survienne un jour, et un certain instinct me dit que le temps de recharger les batteries approche à grands pas. Assez d'hypothèses. Le peuple jugera. Ce qui compte, c'est de se présenter devant lui dans la vérité plutôt que dans le mensonge.

Dans le magazine **Le Point** du 8 octobre 1984, Jean-François Revel écrivait : « Le mensonge ne rapporte plus, ce qui réconfortera tous les démocrates, mais les hommes politiques semblent les seuls à ne pas s'en apercevoir. (...) Certes, il est louable de savoir modifier sa doctrine quand on s'aperçoit qu'elle est fausse. Mais il est des retournements d'une telle ampleur que le public ne peut les comprendre à l'aide uniquement de quelques échappatoires paternes. Imaginons que Reagan impose aux agriculteurs américains la collectivisation des terres et le système des kolkhozes, puis leur affirme que par là il se borne à infléchir de façon tout à fait marginale sa ligne économique initiale! Même les partisans des kolkhozes ne conserveraient plus guère d'estime pour sa probité intellectuelle. (...) Désormais la sincérité en politique n'est plus un luxe: l'incrédulité publique est telle que la véracité politique devient une priorité nationale et une condition de survie.»

La vérité, c'est le Parti Québécois souverainiste. Le mensonge, c'est le Parti Québécois fédéraliste. L'inflation verbale: beau risque, compromis historique et autres astuces, n'y changera rien. Il y a des certitudes rationnelles et d'autres qui semblent venir des tripes. Pour ce que cela vaut, mes tripes me disent que le peuple québécois rejetterait avec dégoût un Parti Québécois devenu fédéraliste. Ce serait — je pense que le mot n'est pas trop fort — une trahison. Nous avons apporté un cadre politique aux aspirations d'un Québec que la Révolution tranquille avait réveillé. Nous n'avons pas le droit de laisser tomber la légion de celles et de ceux qui ont cru en nous.

Il vous arrive souvent — et vous avez à cet égard beaucoup d'émules — de parler de la souveraineté comme d'un objectif ultime, lointain, hypothétique. Ce n'est pas cela, la parole souverainiste. C'est plutôt de proposer la souveraineté comme solution immédiate, ou à tout le moins prochaine. Les gens n'en veulent pas ? Ils voteront en conséquence, comme c'est leur droit et leur devoir, et nous nous retrouverons dans l'opposition où nous panserons nos plaies et où nous referons nos forces. L'argument préféré des fédéralisants parmi nous consiste à dire qu'une seconde défaite de notre option en cinq ans serait un recul pour le Québec. Le sophisme ne manque pas d'élégance. Il ne tient cependant pas compte d'une vérité profonde : si le Parti Québécois renonce à l'indépendance, ou s'il l'escamote, ou s'il la met une fois de plus en veilleuse, il en deviendra le fossoyeur — peut-être pas pour tous les temps, mais assurément pour notre époque — et c'est cela le recul qu'il faut éviter. Ce serait, pour notre entreprise politique, un coup mortel. Tous les efforts que des centaines de milliers de nos compatriotes ont consentis pour bâtir un parti, depuis seize ans, seraient à recommencer.

Si, au contraire, nous retrouvons la parole, nous pourrons donner à notre option un nouvel élan. Il est de bon ton, dans les salons, de dire que l'indépendance est dépassée. Quoi que semble en penser le conseiller au programme du parti, M. Jules-Pascal

Venne (**La Presse**, 25 octobre 1984), cela n'a à mon avis aucune espèce d'importance. Dans les salons, on ne pense pas, on fait la mode. Notre quête de liberté n'a que faire de ce genre de voltige. Et si M. Venne et d'autres ne sont plus d'accord avec le programme que nous venons de remettre à jour, il y a à peine cinq mois, ils n'ont qu'à tirer la conclusion et... leur révérence. Nous ne leur en voudrons pas. Je reconnais comme vous que le fédéralisme n'est pas l'enfer sur terre, et je ne nie le droit de personne d'y adhérer.

Pour passer à l'histoire

Face à un adversaire aussi faible que Robert Bourassa, nous pourrions faire une magnifique campagne souverainiste. Les enjeux seraient clairs. La moitié des Québécois francophones ont voté pour le oui au référendum de 1980. Ils avaient raison. Nous ne sommes pas nés pour le petit pain de la dépendance. En réalité, c'est le fédéralisme qui est dépassé. En 1959, il y a un quart de siècle, Paul Sauvé — mon prédécesseur comme député de Deux-Montagnes — était devenu premier ministre du Québec. Il partait pour Ottawa où devait avoir lieu une conférence constitutionnelle. Il répondait aux questions des journalistes. Ce sera, disait-il, la conférence de la dernière chance de la Confédération. Y en aurait-il parmi nous, vingt-cinq ans plus tard, après nos échecs et le viol de nos droits, qui voudraient donner à la Confédération encore une autre dernière chance ? Laissons donc cette obsession masochiste à Robert Bourassa qui, au fond, j'en suis sûr, n'y croit pas vraiment, mais qui fait le petit jeu mesquin du parfait colonisé.

Je crois, patron, que nous devrions proposer à la population du Québec un programme de gouvernement fondé sur le programme du parti et qui supposerait la souveraineté, un programme que nous ne pourrions pas réaliser avec les pouvoirs étriqués d'une simple province. Non pas une tranche de souveraineté, ni un programme dans un seul secteur, mais un véritable programme de gouvernement touchant tous les secteurs.

La persévérance n'est pas un vice. Le 23 avril 1983, dans **The Gazette**, Pierre Bourgault écrivait (c'est moi qui traduis) que vous sacrifiez une génération entière qui avait mieux à faire que de suivre un chef qui ne conduisait nulle part. Prouvez-lui qu'il se trompe, pendant que vous en avez encore la chance. Persévérez dans l'option à laquelle vous n'avez jamais vraiment renoncé. Si je voulais vous flatter, je vous dirais qu'ainsi, vous entrerez dans l'histoire par la grande porte.

N'écoutez pas les bricoleurs de stratégies. Ils rapetissent tout ce qu'ils touchent. Ils nous ont fait jouer au plus fin avec la population, au mépris de la tâche que nous rêvions d'accomplir. Il faut maintenant relever le défi de la vérité et jouer fièrement la fibre québécoise. Le temps est venu de mettre les sondages de côté et de parler directement à la population.

Vous vous rappelez peut-être qu'en 1978 Félix-Antoine Savard, créateur de **Menaud, maître-draveur**, avait annoncé qu'il voterait pour le non au référendum à venir sur la souveraineté-association. Cela avait été un choc. Fils spirituel de Savard, Pierre Perrault, poète et cinéaste, publia dans **Le Devoir** du 28 janvier 1978 une poignante réponse. Permettez-moi d'en citer les dernières lignes :

« Mgr Savard, je vous le dis comme à mon père, pieusement, respectueusement, allez-vous voter contre Menaud, allez-vous voter contre vos fils, dans cette affaire de royaume ? C'est la première fois de notre histoire que nous nous posons cette question fondamentale, que nous levons une armée pacifique pour défricher non pas seulement la terre mais tout le territoire. Allons-nous laisser s'échapper cette occasion de consentir à l'histoire ? Allons-nous récuser notre propre légitimité ? Allons-nous perdre le goût du royaume que vous nous avez proposé dans l'écriture, qui chantait dans nos violons depuis... depuis... de père en fils, comme disait Joachim Harvey de l'île-aux-Coudres dans son langage joualeresque ? »

À nous de hâter le retour du cycle de notre aspiration à la liberté. À nous de donner lumière et nourriture à la fleur de notre émancipation. Et puisque les soucis économiques dominent les préoccupations des gens, apportons des réponses à ces questions lancinantes. Prenons avec tous les péquistes qui resteront fidèles le bâton du pèlerin et la craie et le tableau noir de **Point de mire**, pour dire et répéter que nous avons tout à gagner à nous prendre en main, à devenir maîtres chez nous, à nous doter d'un vrai État et d'un vrai gouvernement que nous pourrons utiliser et critiquer à loisir sans être déchirés entre deux paliers d'administration qui sont faits pour ne pas s'entendre, à stimuler notre économie dans sa vigueur nouvelle, à moderniser librement les appareils et les structures, à accueillir les mentalités nouvelles, à façonner un Québec tout nouveau dans son ancienneté, un Québec qui, n'ayant jamais accepté la sujétion, ne peut vraiment vivre que libre.

Eh bien, patron, pourrons-nous faire route ensemble ?

Pierre DE BELLEFEUILLE
député de Deux-Montagnes

Table des matières

COMPOSÉ AUX ATELIERS
GRAPHITI BARBEAU, TREMBLAY INC.
À SAINT-GEORGES-DE-BEAUCE

9434